KB178043

< 바람 >

길 가다 문득 바람이 불 때

하늘을 쳐다보곤 한다.

보이지 않는 바람의 경로가

마치 눈에 보이는 것처럼

어딘가 머나먼 곳으로

이동하는 바람을 바라보며,

부러운 듯이.

< 꿈 >

희망과 용기를 가지게 되는 단어이며

가슴을 설레게 하는 단어이다.

누군가에겐 현재 이루기 위해 도전하고

나아가기 위한 목표가 될 수 있을 것이고

또 다른 누군가에겐

이미 달성한 과제가 될 수 있을 것이다.

하지만 요즘은 현실과 타협해

꿈을 포기하는 사람들이

점점 많아지고 있는 것 같다고

느끼는 것은 착각일까

설령 그렇다고 해도 그들의 가슴속엔

그때의 뜨거웠던 마음이 조금은 남아있을 것이다.

< 바람의 고민 >

어디에서도 존재하고

어디든 가고 싶은 곳을

갈 수 있는 바람은 고민이 있을까?

바람처럼 제약을 벗어던진다면

많은 것을 할 수 있을 것 같은데

땅에 발을 붙이고

살 수밖에 없는 존재인 나는

바람이 되어 날아 볼 수 없겠지

< 어린 왕자 >

어른이 돼서 어린 왕자를 다시 읽어보니

예전과는 다른 느낌이 들었다.

어렸을 때 읽었을 땐

어린왕자의 시점에서 생각이 들었지만

지금은 문득 어른의 시점에서

생각을 하게 되는 나 자신을 발견했다.

화가의 꿈을 가졌었지만

비행사가 된 아저씨처럼

꿈을 포기하고 현실과 결국 타협을

하게 되는 모습이,

나 자신과 겹쳐서 투영되었다.

시간이 지나면 결국 현실을 깨닫고,

이렇게 변해버리고 마는 걸까?

동심을 가진 채 살아가고 싶었지만

씁쓸해하는 나 자신이 있다.

< 벚꽃 같은 사람 >

매년 4월이 오고

벚꽃이 피기 시작하면

항상 떠오르는 사람이 있다

바람에 흩날리는 모습도

빗물에 젖은 모습도

사람들의 신발에 밟혀 짓이겨지는 모습조차도

아름다운 벚꽃 같았던, 그런 사람

지금은 하늘 아래 존재하지 않기에

피는 것도 지는 것도 아름다운 벚꽃을 보면

한결같이 눈부셨던 당신이 떠오른다.

< 태양 >

하늘을 보고 태양을 쳐다보려 하면,

눈이 부셔서 아주 잠깐밖에 쳐다볼 수가 없다.

그리고 그 잠시만 쳐다보고 나서도,

시선을 다른 곳으로 돌리거나 눈을 감으면

그 태양의 흔적이 강렬하게 눈 안에 남는다.

나는 태양처럼

남에게 강렬한 흔적을 남길 수 있는

존재가 되기를 희망한다.

누군가 춥거나 외로울 때,

따스한 기운이 필요할 때

생각만으로 그 기운을

생기게 할 수 있는 사람이 될 수 있기를.

< 바람의 시 >

바람이 강하게 부는 언덕에

문득 지나가다가 발걸음을 멈추면

귓가에 어떤 소리가 들려오곤 한다.

그것은 형태가 없는 바람의 소리

사람들에겐 단순한 소리로 들리곤 해서

스쳐 지나가는 일상이지만

나에겐 사람들에게 전하는

바람만의 표현이 아닐까 싶은 생각이 든다.

< 버스정류장 >

버스정류장에서 저마다 목적지가 다른 사람들이

버스를 기다리며 옹기종기 서 있다.

가야 할 곳은 각자 다를지 몰라도,

버스를 타야 한다는 목적 하나는

기다리는 사람들 전부 똑같을 것이다.

어찌 보면 인생도 그렇게 볼 수 있지 않을까?

자신이 향하는 끝은 서로가 다를지 몰라도

오늘도 삶을 열심히 살아가야 한다는 그 목적 하난

누구나 똑같을 것이기에

< 피아노 >

어렸을 때 한 번쯤

피아노를 우연한 기회로 쳐보거나,

봤던 사람들이 있었을 것이다.

나도 어릴 때

피아니스트가 되겠다는 부푼 꿈을 안고

피아노 학원을 다녔었지만,

그 당시엔 잠시 다니고 난 후

그 뒤로는 다니지 않았다.

최근 다시 피아노를 치기 시작했는데,

어렸을 때 피아노를 칠 때 느낄 수 있었던

그 기분은 느껴지지 않았다.

그 이유는 시간이 지나 어른이 되어버려서일까

아니면 어렸을 때의 꿈을 잃어버렸기 때문일까

< 까치 >

까치를 볼 때마다 느끼곤 했던 점은,

멋있다는 점이다.

비둘기나 참새 등을 볼 때는 느끼지 못했었는데,

왜 까치를 볼 때만

그런 생각이 들었을까

고민해보니

꼬리도 길고

길한 새로 여겨지는 속담등 이 한몫했던 것 같다.

< 기타 >

어머니가 기타 치는 소리를 참 좋아하셨더랬다.

집에서 가끔 기타를 치곤했는데

그 중 로망스라는 곡을 좋아하셔서,

내가 기타를 치고 있을 때면 오셔서

그 곡을 쳐달라고 자주 말씀하시곤 했다.

나는 타브 악보쪽에서 유명한 입문곡인

황혼이라는 곡으로 기타를 치기 시작했었다.

그 당시엔 그 곡이 그렇게 멋져 보였는데,

정작 내가 연주할 땐 그 느낌을 잘 살리지 못했다.

특히 기타를 칠 땐, 피크를 사용 안해서 그런지

손가락이 자주 아팠는데,

어느 순간 굳은살이 생겨서 안 아프게 되었다.

아팠던 건 나의 손가락이었을까,

아니면 나의 마음이었을까

기타를 치고 있으면 신기하게도

여러 잡생각이 사라지곤 했었다.

그 때문인지 지금도 나는 가끔 기타를 치곤한다.

< 무지개 >

비가 온 뒤에 개었을 때나

비가 오기 직전 태양을 등지고 섰을 때 볼 수 있는

호를 이루는 띠를 무지개라고 하고

순우리말로는 해무리라고 한다.

가끔 길 가다가 무지개를 볼 수 있을 때가 있었는데

내가 태어나던 날에도 무지개가 피었다고 했다.

일곱 가지의 색깔이 모여서 이루어졌다고 하는데

그렇게 다른 색깔들이 한데 모여

조화를 이루고 있는 모습을 보면

굉장히 신기하다는 생각이 들곤 했다.

내게 있는 일곱 가지가 넘는 감정과 상태들이

저렇게 어긋남 없이 잘 지낼 수 있다면

마치 무지개처럼

< 날개 >

날개가 있는 생물들은 어떤 기분일까?

하늘을 날 수 있다는 것

그건 땅에 발을 붙이지 않아도

사람들처럼 걸어 다니지 않아도

저 높은 하늘을 마음대로 날아다닐 수 있다는 것

비행기 같은 걸 탄다고 해도 본인의 의지로

날개를 움직여 나는 것과의 차이란

아아, 사람으로 태어난 나는

그 전율을 결코 느껴볼 수 없겠지

< 행운 >

사람은 누구에게나

세 번의 행운이나

기회가 찾아온다고

말을 하고들 한다

어쩌면 나에게도 그 행운이 왔는데

그걸 모르고 지나쳤을 수도 있고

아직은 그 기회가 오지 않았을지도 모른다.

하지만 정말로 그 기회를 잡지 못했다면

너무 슬프지 않을까

첫 번째를 놓쳤다면 그다음인 두 번째나 세 번째가

언제가 될지는 알 수 없을 것이다.

그러니 사람들은 항상 긴장의 끈을 유지한 채

매 순간을 열심히 살아야 하겠지.

< 모험 >

모험이란 단어가 주는 느낌은

새로운 세상에 발을 처음 딛게 되는

신기하고도 설레는 감정이라고 생각한다.

어렸을 땐 어떤 일을 시작해도

경험하지 않았던 일이 많아서

대부분의 일들이

모험이라고 할 수 있었고,

새로운 경험이라고 말할 수 있었다.

하지만 어느 순간부터 나이가 점점 들어갈수록

경험하지 않았던 것들에 대한

호기심이나 투쟁심보단

그에 관해서 꺼려지거나 거부감 등이

먼저 내 안에 생기게 되는 것을 발견하게 되었다.

나 자신도 모르게 그렇게

변해버린 순간은 언제부터였을까

사람들은 어른이 되어가면서 점점 동심을 잃게 되고

점점 현실을 깨달으면서 그에 타협하게 되어

순응하게 되는 것일까

만약 이렇게 변해가는 것이

어른이 되어가는 거라면

어른이 되지 않고 아이인 채로 있는 것도

상관없지 않을까라는 생각이 들었다.

< 어른 >

어른이 된다는 것은 무엇일까

나이상으로 성인이 된다면 자연스럽게

누구나 어른이 되는 것일까

어린 시절 넘어져서 무릎이 까지고 생긴

작은 상처에도 아파서 울던 아이는

시간이 지나감에 따라 점점 몸이 커지면서

팔이 부러져도 울지 않게 되었고

호기심이 많아 궁금한 게 많던 아이는

점점 질문을 하지 않게 되었고

말수도 줄어들게 되었다.

어렸을 때 가지고 있던,

잃어버리지 말아야 할

무언가를 잃어가면서

시간이 지나감에 따라

몸이 커져버린 존재를

사람들은 '어른'이라고 부르는 것이 아닐까?

< 선택 >

살다가 보면 누구에게나

중요한 선택의 순간이 찾아온다

그 선택으로 인해 앞으로의 삶이

크게 바뀌는 경우도 있고

결과를 받아들이지 못하고

크게 후회하기도 한다

그럼 그 선택의 순간이

자신한테 찾아왔을 때

어떤 결정을 내려야

정답일 수 있을까

인생에 있어서 정답이라는 게

실제로 존재하는 것인가?

선택이란 정답을 고르는 게 아니라

나아가야 할 방향을 결정하고

그것에 대한 책임을 자신이

지는 것이라고 나는 생각한다.

시간이 지나서야 나중에

'그때 그걸 선택했어야 했는데' 라며

후회할 순 있겠지만, 그때 당시엔 결과가

어떻게 될지 알 수가 없기에,

그 상황이 다가왔을 때

필사적으로 결정을 할 수밖에 없다.

그 후엔 시간을 되돌릴 수는 없는 법이니

최대한 지나간 것에 미련을 두지 않을 수 있다면

자신에 대한 후회나 원망이

점차 옅어지게 되지 않을까

< 변화 >

사람들은 보통 변화에 민감하다

각자 정해진 생활 규칙과 습관,

사용하는 물건 등이

일상생활 속에서 자신만의

기준으로 정해져 있기 때문에

그걸 바꾸는 것에 대한

거부감 등이 존재한다.

하지만 변화는

누구에게나 찾아오기 때문에

결국엔 그것을

받아들여야 하는 상황이 온다.

예를 들면, 시간이 지나감에 따라

변화가 오게 되는 자신의 몸이다.

외출 준비를 하거나 씻는 도중에도

거울 등을 보게 되는 상황이 생기는데

평상시엔 별생각 없다가

어느 순간 눈에 보이게 되는

새로 생긴 점이나 상처, 주름 등을 보고

노화를 깨닫게 되곤 한다.

그럼 이런 변화를 어떻게 받아들일 것인가

좋은 쪽이거나 나쁜 쪽,

어떤 의미의 변화여도

결국에는 마음가짐에 따라 다른게 아닐까

변화를 두려워하지 않고

적응해가며 오늘도

물 흐르듯이 살아가야 한다.

< 위로 >

힘든 시간이 찾아왔을 때

그 시간을 버텨내기 위해

누군가에게서 받는 위로는

큰 힘이 될 수 있다.

더구나 그게 본인과

더 가까운 관계의

사람에게 받는 것이라면,

그 의미는

훨씬 커질 것이다.

< 착각 >

착각이란 단어가 주는 인상은

보통 부정적인 경우가 많다.

일상생활에서 안 좋은 의미로

많이 사용되는 것이기 때문인가

하지만 좋은 의미에서의

착각도 있을 수 있다

선의의 거짓말이 있듯이

< 생각 >

사람은 살면서 끊임없이

많은 생각을 하면서

인생을 살아간다

생각을 멈추면 그것이

죽음이라는 말이 있을 정도로

거의 자고 있을 때를 제외하면

항상 무언가를 생각하며

시간을 보낸다는 의미이다.

그러다 가끔 넋이 나가거나

자기도 모르게 멍 때리고 있을 때가 있는데

그럴 때는 자신이 어떤 생각 중이었나

잊어버리게 될 때도 있다.

가끔씩은 생각을 멈추고

머리를 쉬게 하면서

휴식을 취하고 싶을 때가 있다.

그럴 땐 풍경 좋은 숲속에 앉아서

새가 지저귀는 소리,

풀들이 바람에 움직이는 소리들을 듣고 있노라면

마음이 안정되는게 느껴지곤 한다.

< 다툼 >

평소에 잘 지내고 있는 사람과 대화를 하다가

서로 생각이 달라서 이야기를 이어나가던 중에

결국 말다툼을 하게 되어

감정이 상할 때가 있을 수 있다.

그럴 때는 계속 대화를 이어나가기보단

한 번 흐름을 끊고, 시간이 좀 흐른뒤

나중에 다시 대화를 해보는 것이 어떨까

그 당시엔 화가 나서 보이지 않던 것들이

시간이 조금 지나서 보일 때가 종종 있다.

그 사람의 입장에서 생각을 해 보았을 때

민감하게 받아들일 수도 있었던 사항이라거나,

자신의 공격적이었던 어투 등이

그 사람과 대화했었던 때를 떠올리면

그 땐 왜 그랬을까 하며

다시 떠올리게 되곤 한다.

< 광대 >

어릴 때 광대를 보고

웃었던 기억보다는

무섭다는 느낌이 더 강했다

각종 마술과 장난감 등을 사용해서

어린아이들에게 웃음을 주는 이미지가 강한

광대에게 왜 무서움을 느꼈던 것일까

지금 생각해 보면,

얼굴이 큰 역할을 했던 것 같다.

주로 분장할 때 슬픈 표정 위주로 하던걸 봤었는데

아이들의 모진 장난에도

웃음을 주기 위해서

그런 표정으로 분장을 했던 것일까

< 자전거 >

자전거는 한번 타는 법을 배우면

평생을 간다는 말이 있었다.

초등학생 때 타는 법을 배우고 나선

문득 그 이후로 타본 적이 없는걸 깨닫고

집 근처 안양천이 있기도 해서

즉시 자전거를 구매했었다.

가장 많이 가는 곳은 역시 안양천이었는데

거기엔 굉장히 많은 사람들이 조깅을 하거나

자전거를 타고 다니며 지나가고 있었다.

지나가는 사람들의 장비들은

굉장히 다양했다.

본격적인 자전거 라이더의 장비를 사진 못했지만

지금도 가까운 거리 (전철로 5개역 이내) 정도는

잘 타고 다니고 있다.

하체 단련도 되고

전철이나 버스 안에서 느낄 수 없는

바람을 느껴볼 수 있어서

괜찮은 것 같다.

< 철물점 >

가장 망하지 않는 업종 중 하나로

철물점이라는 기사를 본 적이 있다.

생각을 해보니 초등학생 때도 동네에

철물점이 몇 개 정도 있었는데

다른 가게들이 많이 사라졌다 생기고 그러는 동안

10~15년이 지난 지금도

그 철물점들은 안 없어지고

그 자리에 그대로 존재하고 있었다.

나도 가끔 사포를 사러 가거나,

벽지 , 수도꼭지, 공구 등

1년에 최소 두 번씩은 가곤 했었는데

갈 때마다 그 어지럽게 물건들이 놓인 장소에서

척 척 바로 물건들을 꺼내오는 걸 보면

'신기하네' 라는 생각이 들곤 했었다.

보통은 부부들이 하는 경우가 많았는데

주로 남편분이 외근을 나가서 업무를 보면

그 때 배우자분이 가게를 보는 구조인 것 같았다.

안에 물건들을 다 합치면

가격도 억대가 훌쩍 넘어가고

뭔가 아는 것도 굉장히 많아야 하기에

아무나 할 수 없어 진입장벽이

꽤나 높을 것 같긴 하지만

그런 이유들 때문에 안 망하고 몇십 년 동안

계속 가게를 운영할 수 있는 것일지도 모른다.

< 수면 >

일생을 살아가면서

수면이란 굉장히

중요한 요소 중 하나이다.

보통 평균적인 사람 기준으로

전체 인생의 삼분의 일정도를

평생 잠을 자면서 지낸다고 해도

과언이 아닐 정도로 수면의 비중이

삶에서 많은 부분을 차지한다.

하루 24시간을 기준으로 봤을 때

일반 성인 기준 7~8시간을 자야

일상생활에 무리가 안 간다고 하는데

사실 이 정도도 직장인 기준으로는

꽤 많은 편에 속한 편이다.

수면 없이 살아갈 순 없는 것일까

90살을 산다고 가정했을 때

30년을 잠을 자는 것만으로

쓰게 된다고 생각하니 너무

아깝다는 생각이 들은 적이 있었다.

그래서 하루 6~7시간 정도 자던걸

줄여보자는 생각에

몇 달 정도를 4시간만 자는 생활을

유지한 적이 있었다.

사람에게 필요한 최소 수면시간이

4시간이라는 연구결과를 보고

시작하게 되었는데

확실히 7시간 자던 때보다

뭔가 기운이 없고

집중력이 떨어지는 게 체감이 됐었다.

언젠가 시간이 지나면 사람의 몸도

전자기기의 건전지처럼 부품을 교체하면

24시간 돌아가게 되는 상황이

오지 않을까 하고 생각해 보곤 한다.

< 음악 >

음악엔 굉장히 신기한 힘이 있다.

어떤 음악을 듣고 있으면

그걸 듣고 있던 시간 대의 내가

어떻게 지냈는지가

구체적으로 머리에 떠오르면서

그 당시의 즐겁던 추억들을 회상하곤 한다.

특히 최소 몇 년 이상이

지났던 노래들을 다시 들으며

기억을 되돌려보곤 하는데

나중에 나이가 들어서

옛날 노래를 듣는 분들이 많은 이유가

아마 이런 점 때문이지 않을까 싶기도 하다.

< 복수 >

사람들이 많이 알고 있는 말로

'복수는 복수를 낳는다'라는 말이 있다.

하지만 머리로는 이것을 알고 있다고 해도

본인이 어떠한 일을 실제로 당하면,

행동력이 이성을 앞지르게 되며

더 이상 참지 못하고 꼭 복수를 해야만 하겠다고

다짐을 한 후 그것을 실행하게 되기 전까지

스스로는 멈출 수 없는 상황이 오게 된다.

그러면 어떻게 해야 하는 것일까

잘못을 저지른 사람들은 법의 심판을 받게 하고

내가 그들과 똑같이 변하지 않도록

나 스스로를 다스려야 하는 것일까

탈무드의 명언으로

'잘 살아라 그게 최고의 복수다'라는 말이 있는데

이렇듯 옛 성현들의 말을 따르며

지낼 수 있는가는

참 어려운 문제인 것 같다.

< 환상 >

환상이란 단어가 주는 느낌은

설렘이라고 할 수 있다.

누구나 자신만의 이상을 마음속에 품은 채 살아가며

이룰 수 없는 현실을 대입해

그걸 상상하고, 환상 속의 내가 되어보기도 하면서

즐거워하기도 한다.

하지만 결국엔 달콤한 환상 속에서 깨어나

현실로 돌아오게 되고

주어진 삶에 대해 고뇌하며

열심히 살아가야 한다는걸

종종 깨닫게 되곤 한다.

바람이 지나는 곳

발　행 | 2024년 5월 31일
저　자 | 이상현
펴낸이 | 한건희
펴낸곳 | 주식회사 부크크
출판사등록 | 2014.07.15.(제2014-16호)
주　소 | 서울특별시 금천구 가산디지털1로 119 SK트윈타워 A동 305호 A동 305호
전　화 | 1670-8316
이메일 | info@bookk.co.kr

ISBN | 979-11-410-8764-7

www.bookk.co.kr